비운의 프리즘

발 행 | 2024 년 8 월 22 일
저 자 | 여 름
펴낸이 | 한건희
펴낸곳 | 주식회사 부크크
출판사등록 | 2014.07.15(제 2014-16 호)
주 소 | 서울특별시 금천구 가산디지털 1 로 119 SK 트윈타워 A 동 305 호
전 화 | 1670-8316
이메일 | info@bookk.co.kr

ISBN | 979-11-419-0177-6

www.bookk.co.kr
ⓒ 여 름 2024

비운의 프리즘

여름시집

시인의 말

맺는 말

시인의 말

아픔을 발음하는 것마저 소음처럼 느껴지는 날이 있습니다
사랑한다는 말이 다 거짓같아보이는 날이 있습니다
흘려보낸 울음의 잔상과 짙게 배인 상처의 내음이
나를 초라하게 할 때가 있습니다
그런 날들의 언어를 엮었습니다
비가 오면 무지개가 뜹니다
결국은 빛을 볼 것이라는 이야기입니다
여러분의 프리즘으로 여러분의 무지개를 띄울 수 있기를
간절하게 소망하는 마음입니다

2024 년 8 월

여 름

1부 로맨스 레시피

정의한다

모든 것을 걸고
치열한 눈빛으로
하늘을 휘젓는 것
나는 너를 열망해
온몸으로 외치고
눈을 감고 떠올리고
내 모든 것을 걸고 싶어

절정이 휘몰아칠 때
내가 너를 들어 안아서
어지럽고 불확실하더라도

정신없이 뛰는 심장 속에서
순간의 모든 것을
거침없이 쏟아내고 싶다고

물들여줘

나에게 네가 잔뜩 섞이게

서로가 누구인지 모르게

페인트 통을 가득 엎질러줘

네 색깔을 가득 바르고

네가 될거야

비록 진창같아도

내 안에 널 담을거야

연인의 윤곽

사랑입니까
당신 눈동자가
제 자리 찾지
못하는 것은
사랑입니까
자꾸 부벼대는
당신 손가락은
사랑입니까
눈을 감으면
당신 가득차는 것은
사랑입니까

이를테면 당신

자꾸 내 눈앞에서
흔들린 것은

사랑입니까

향수

방안에 가득 차도록

전부 흩뿌려

음파로 모두 덮어

잘 자

내가 이불이 될거니까

나쁜 생각은 하지 말고

기다릴게

믿음의 뿌리

너랑 영원히 사랑할거야
영원은 없어도
몰라
너와 쌓은 순간으로
내가 영원을 살면
그게 영원 아니겠어?
일방 영원이래도
나는 영원이라 믿어

사랑합니다

좋아하는데엔 이유가 있을지언정
사랑에는 이유가 없습니다
사랑은 깊은 구덩이에서 시작하는 것
사랑에는 한치의 거짓이 없어야 하는 것

그대 가득 담긴 꿈의 눈을 좋아합니다
그대 섬세한 즐거움을 좋아합니다
그대 주홍빛 부끄러움을 좋아합니다
그대 조그만 머리통을 좋아합니다
그대 깊은 머릿속도 다 좋아합니다

그대 투명한 마음이
얼어버린 표정이
멈추지 않는 손끝이
투박하게 빛나고

그대 그자리 그대로 있어주세요
그대 눈동자에 담긴 내가

그토록 예쁠 수 없습니다

레시피

J 야 뭐 해
사랑스러움 레시피 좀 알려줘
네가 사랑스러운 까닭은
네가 가장 잘 알잖아
네가 양껏 사랑받는 사람이라 좋아
종일 부러워

내가 너를 사랑하면서
너의 사랑스러움에 전염돼서
나도 너같은 사람이 된 것만 같은 착각을 해서
자연히 닮아가는 내가 예쁜 것만 같아서

정확한 레시피를 알려줘
정말로 네 옆에 있을 자격을 알려달라는 말이야

옹알이

알려줘 하나부터 열까지를
내가 너를 발음 하는 법이
혹여나 잘못된건 아닐까
나는 갓난아기를 자처하고

내가 가장 먼저 너를 부를 수 있게
네가 사랑하는 문장을 알려줘

문장 속에서도 너를 찾을 수 있게
힘껏 옹얼거리는 나를
함께 타올라줘
알려줘 너의 모든 걸

뜨거운 물음표

뜨거운 물음표를 띄웁니다
눈에 불을 켜고
반짝이는 마음으로
차고 넘치는 물음표를
당신에게
당신을 향해서
보냅니다
내 눈망울 속에
댱신이 맺히는 것은
아마도

흐르는 카세트 테이프

카세트 테이프 느리게 되감듯
우리의 여름은 느리게 돌면서
춤추는 나무밑 나란히 누워서
책몇권 읽다가 단잠을 보내고
빗줄기 굵어라 머리를 감싸고
한없이 뛰어서 그의집 처마에
카세트 테이프 느리게 되감듯
우리의 사랑도 여름도 서로도

여름으로부터

여름으로부터
매미가 몇번을 우는 것도
비가 몇번 쏟아지는 것도
몇번의 인연과 이별인것도

글쎄 말이다
모두 여름으로부터

알 수 없는 일들이
알 수 없는 감정이
여름에겐 널려있었다

여름만이 아는 일

그해 여름에는
바다가 울었습니다
산은 요동하고
능소화는 굽이치고
이상하게도
무궁화가 일찍 지던
금계국 시름하던
그해 여름에
나와 그는
바라봤습니다
눈동자를
코를
입술을
차례로 적셨습니다
그렇대도 그것은
과연 그것은
그해 여름만이 아는 일
그해 여름만이
간직한 일

여름에 대하여

여름의 유의어는
쌉쌀한 사랑
알 수 없는 천둥번개와
목까지 들이찬 장맛비와
아른한 무지개와
매미의 합창과
후덥지근한 열기와
마주한 눈동자의 흔들림
여름의 동의어는
옥빛 풋사랑

대화

나는 바다를 좋아해

왜?

마르지도 않고 넘치지도 않잖아

…

파도 소리가 심장 뛰는 소리 같아서
살아있는 것 같아서

그래서 좋아?

응

그럼 내가 바다가 될게

응?

마르지도 않고 넘치치도 않는 사랑을 줄게
형용 할 수 없는 파도로 사랑할게

그게 무슨 소리야?

끊임 없이 너에게 밀려가겠다는 말이야

여울

물결 진 강을 보고 있을 때면
흐르는 소리를 들을 때면
여울진 강물이
어딘가 서글프다는 생각
강물이 아무렇지 않게
모두를 받아들이기까지
얼마의 시간이 걸렸나
강물은 모두를 안다는 생각
여울은 무엇을 위해 생기나

여울지는 내 마음이
강물과 같다는 생각

너를 모두 담을 수 있겠다는
내 오만과 자만

J

동그란 뒤통수 만지고 싶어
긴장감에 내리 깐 눈도 좋아
길고 곧은 손가락이 좋아

자꾸 보고싶어서 예뻐서
너무 진부한 말인가
생각 할 시간에 나는 널 더 사랑할래

낮은 목소리도 장난치는 몸짓도
머뭇이는 손끝도 귀여워서
꿈속에 데려다가 놓고 싶어

강아지 같아서
힘껏 쓰담고 싶어서

그래서 밤마다 사치 좀 부렸어
너 행복하라고 기도했거든

사람과 사랑 사이

사람과 사랑 사이에는
참을 수 없는 것들이 있습니다

ㅁ과 ㅇ 사이에
수많은 활자들이 있습니다

만들어지다가 만
목구멍에서 나가려다 만
입 속에서 머금어지다가 만
그런 것들이 있습니다

사람과 사랑 사이
사랑과 사람 사이
커다란 공백

한여름 로맨스

여름이 되고싶다
아마 여름을 좋아했던가

그렇지 않대도
여름이 되고싶다
봄은 너무 가벼워
조금은 무거운 여름으로
네 세상에 들어가야지

덥다며 투정부릴때
그것까지 사랑한다면
너는 믿겠니

내가 여름이라면
네 투정과 내 웃음 섞을거야

쉽사리 잊을 수 없는
한여름처럼
따갑도록 뜨거운
로맨스

2부 어지러운 열망의 소음

영원의 모래알에서

영원한 꿈은 없다며 사람들은 말하고
새빨간 해를 등졌을 때
내가 속삭였던 파란 꿈들은 조금씩 옅어졌다

기생하며 연명하던 부끄러운 청춘의 나날을 지나
깊고 넘치게 여물어 고개 숙이면
띄운 물음표를 깨달을 수 있을까

자꾸만 모래 위에 휘갈겼었고
모래 위 글자들은 곧 파도에게 쓸려가기 마련이었다
파도가 움큼 잡아먹어버린 탓에 다른 의미의 단어로
다시 태어나기도 했던 모래 위 텍스트들

나는 아직도 여전히 영원을 믿고
순간과 사랑을 믿고

애야

나쁜 꿈은 꾸지 마

너를 보살펴줘

너를 사랑해줘

아프지는 마

너무 힘들어하진 마

그런 말이 나를 가장 아프게 하는 걸 알까
그런 말이 나를 가장 힘들게 하는 걸 알까
책임지지 못 할 사랑은 하지 말 것
나는 매일 너를 끌어 안는 꿈을 꾸는데

별거 아닌 일

맹렬하게 덜컹인다
매섭도록 울먹인다
빽빽하게 들이찬다
먹먹하게 잠겨온다

청년이 일어나지 않는다
그만 좀 울라고 해서 그런가
청년이 눈물을 그쳤다
눈깔을 파리하게 뜨고
나를 올려다 보는데
모두를 잃은 것 같아보였다

청년을 다 이해할 수는 없지만
이해하려 했다
고작 그런 일 그런 의문이 들어도
인생사에서 그정도쯤은
말하고 싶었지만
청년은 세상을 잃은 듯이
금방이라도 식어버릴듯이

나는 아무 말도 할 수 없었다

모든 날

봄이 가고 여름이 오듯
자연스레 흘러가는 시간에
우리는 얼마나 많은 사랑을
사람을 투기했습니까

여름이 가고 가을이 오듯
식어가는 계절에 그대 마음도
따라가지는 않았습니까
상처가 되지는 않았습니까

가을이 오고 겨울이 오듯
큰 코트 소매 안쪽에서는
전하지 못한 말을 고스란히
품고 있지는 않았습니까

겨울이 가고 봄이 오듯
잠시 봄에 취해
사랑이라 착각하지는 않았습니까

돌고래를 타고

다음 해 여름에는
피서객이 가득한 해변에서
돌고래를 탈 거야

미끈한 피부를 느끼며
깊은 바닷속으로

너를 피해 달아날 거야
너를 잊을 거야

여름이 기다리고 있어
조금만 자면 여름이 올 거야

차단된 감각

두 눈을 감아야 네가 보여

하염없이 노래하고 잠을 자고

눈을 감는 것이

허용된 행위만을 해

의연한 블루

소리 소문 없이 찾아오는 불행은
암묵적 합의를 통해 찾는다
더 이상은 안되는데
잠만 잔다
꿈이라도 잔뜩 취해서
제정신은 안된다
네 숨소리가 소음이 되고
의연하게 회전하는 침묵 속 불행

정말 안되는데

괴물이 다가오고 있어

오월이야
뭐가 이리 덥지
괴물이 다가오고 있어
괴물이 삼키러 오고 있어

뜨거운 햇빛에 속아서
이게 나인지 구분이 가지 않아
괴물이 거의 다 왔나봐

그렇다면 나는 어림 없이
계절에 속아서
사랑을 하고 말거야

괴물의 계절이 끝나는 날에는
내 마음을 움큼 쥐고 달아나겠지
단단한 초록에 너도 나도 속겠지

그러면 나만 깊은 사랑을 하고
나만 깊은 심연 속으로
괴물이야
도망 가야 해
어서 내 손을 잡아

그해 괴물은 생각보다 빨랐다.

배반

나는 결국 너에 의해
망가질 것을 알았으면서도
알량한 웃음에 속아서
아니. 사실 속은 건 아니지
내가 나를 속이고
없어질 손을 잡고
다 내어줄 듯 굴다가
한 순간에 사라진 너는
나를 추락시키기에 충분했다
그럼 나는 네가 원하던
몇 날을 울다가

불필요한 문장부호

시선이 닿는 자리에 마침표를 찍었다
우리의 시선이 길게 늘어져서 키재기를 하고

버틸 수 없는 문장 부호

눈동자는 일제히 처박히고
발끝 옆 서로가 찍은 마침표가
졸렬한 눈빛으로 쏘아보고 있는 것

마침표의 시선이 끝난 곳에는
또 다른 마침표들이
꼬리를 물고 맹렬히 쏘아보고 있는 것

대가

과연 지치지 않는 사랑이 존재할까
끊임없이 갈망하고 열망하고 원하고
부르짖고 울먹이고 소리치고 매달리고

나를 봐줘 내가 있잖아
내가 너를 사랑하는 만큼
너도 나를 사랑해줘

대가성 사랑

사라진 자리를 상쇄해야 한다는 주장
그것이 사랑이며 당연하다 여기면서
나를 사랑해달라고

바람이 가로지를때면
나를 아프지 않게 껴안아 달라는
무책임한 부탁

서걱

뿌리를 뽑겠다 다짐한 것이
고작 몇 시간 전

비장한 눈빛으로 노려본다
무서우니까
나는 나약하니까

조금씩 잘라내볼까
동전만큼 움켜쥐고
새끼 손가락만치

서걱거리는 소리가
은빛 쟁반 같은 것
자꾸 두드리는 쇠 파열음 같은 것

결국 그 이후
아무것도 잘라내지 못했다는 것

불꽃놀이

터지는 파열음이 네 울음 같아서
귓가에 퍼지는 쓰린 음계가
어찌 가슴께를 어루고

옆 사람 눈동자에 비치는 빛깔이
꼭 너를 닮은 찰나라서

뇌리에 와 닿던 네 목소리가
불꽃놀이가 된다는 것

눈 앞에 터지는 환희
환희 속 불꽃놀이같은 시간

우리의 시간이야

우리의 시간이 오고있어
끝끝내 도망치는 시간이 말이야
자주 울고 절규하고 배 아픈 그런 시간

내려앉은 먼지를 털다가
시집을 한 권 읽다가
네가 준 청포도를 한 알 먹다가
부서지는 천둥소리에

손을 잡고 달아나는 그런 시간
아무것도 보이지 않는 그런 시간
발버둥해도 사라지지 않는 그런 시간
우리의 시간이 오고있어

바다

새파랗게 부서지는 윤슬과
고요한 울음과
밀려드는 파랑을
가득 사랑했던 너는
자주 바다의 허밍을 비추고
자주 파도를 원하고
자주 쓸려가기도 했던
우리 마음의 고향

망가지려나

울며 지새운 밤만큼
지구의 운동이 헛되인 것

주야장천 매달리던 시간들
조각난 마음들
부서진 사랑들

뜬 눈으로 밤을 새고나면
그제야 보이는 나를
하나씩 주워담을 때

기생

너의 의견 따위는 없다
내가 아닌 연유로
울고 웃고 아파하는 것

깨물고 지워봐도
무릇 사랑을 구별할 수 없대도
욕심이라 손가락질해도
포기 할 수 없다

나는 너의 이유로 가득한데
너는 그렇지 않다는 것
이 얼마나 괘씸한가

천지개벽

꿈처럼 뒤엉킨 현실 속에서
내가 어떻게든 널 기억해야 해

우리가 나눈 모든 순간과 아쉬움이
끝없는 환상 속에 스며들어
우리 조각은 찬란하고

너와 내가 다시 만난다면
그때 너의 눈물은 무의미한 슬픔이 아님을 빌고
그리움의 무게를 사유하기를

끝없이 반복된 꿈속에서
우리는 여전히 서로를 부르짖고
지나간 시간의 흐름 속에 여실히 멈춰선 것을

쓸쓸한 발자국 따라 다시 만난다면
후회 그리고 상실의 감정이
더 깊게 새겨지는 고통의 시간

꿈처럼 뒤엉킨 이별의 환상 속에서
내가 끝내 너를 기억하며
그리움과 후회의 파편을 모아
다시 한번 서로의 세상을

백야의 경계

사랑을 발음하는 것이
침묵속의 절규 같은 날

소음이 모든 걸 삼키고
나는 유보하고
물러나서 멀리 바라보고

이제는 멀지가 않다
풍화하는 바위와
다가오는 밀물이

이제는 멀지가 않다
열대처럼 환한 절망
마음 속의 백야

이제는 멀지가 않다
사랑을 발음하는 것이
침묵 속의 절규 같은 날

끝없는 밤

밤새 게워냈다
게워 낸 기억에 익사 할 만큼을

마음이 넘쳤다
밤이 끝나지 않을 것만 같았다

밤은 넘치지 않았다
내 잔해를 꼭꼭 삼켰다

내 밤은 무엇을 먹고 자라는가
당신의 밤은 무엇을 먹고 자라는가
끝없는 밤이 펼쳐졌다

생략합니다

여름과 나의 교차로에 서서
멍하게 바라봤어

조용히 내가 녹아들 방법
심장 뛰는 빛에서 자꾸 자라는 클로버가
나를 도와줄 거라고 믿었어

네가 이 교차로에 섰을 때만은
내가 너에게 가겠다고
혼자 한 약속
나약하고 비열한 생각

악의는 없습니다

쓸개까지 다 내어줄 것처럼 굴었으면서
식어가는 너를 바라보면서
좋다고 날뛰고 발악했으면서
무표정한 너를 바라보면서
왜 그렇게 변했냐고 물으니
대답은 없고
내가 싫냐고 물으면

악의는 없다고

실패한 증명

조금 더 천천히 무너지면 안될까
영원한 루머로

유성처럼 스쳐가지 않았으면 좋겠어
길어야 해

지구와 달처럼
태양과 지구처럼

너에게 내 쓸모를 증명하는 일이
너무 잦아서
필히 쓸모 있는 인간이 되려

알고 있지만

사랑해. 그 말을 뱉을 때
주변이 고요해지면서
아무것도 들리지 않으면서
심장은 달리기를 하면서
너의 숨소리와 나의 숨소리만이
자욱하게 섞여가는 시간

숨이 막히고 영원을 말하고
다 거짓말이라는 걸 알고 있지만

인간은 간사해서 영원 따위야
존재 하지 않는 걸 알고 있지만
약에 취한 것처럼 바보처럼
다시 믿어보게 되는 순간

결국 끝을 알고 있지만
알고 있지만,
알고 있지만.

불확실성의 연속

그러니까 반은 호기심이었고 반은 불확실함이었지
애초에 너는 부정확한 말만 했어
애매하고 모호한 말들만 했다고
내일이 당연했으니까
내가 옆에 있는 게 당연했으니까

아무리 끌어 안아도 새어 나가기 일쑤였으니까
단 하나도 내 것이 아니었던 거야
내가 가졌다고 생각한 것들은
모두 거짓이었으니까
알량한 거짓말에 속아 넘어갔으니까
내가 미워져 버리니까
모두 내 잘못 같았으니까

나는 좋아서 했던 말을
미워하는 수단으로
쓰지는 않을 거야
서로가 좋아서 했던 말을
비겁하게 투기한 너는

유토피아

나는 너의 용기가 될게
맞잡은 손이 뿌리처럼
복잡이 얽힌 것은
분명히 불행 하라는 증표

남김없이 불행 하라고
신이 속삭인 벌

나는 너의 용기가 될게
이건 틀림없는 벌이야

너와 내가 끝까지
떨어지라는 신의 모략

청춘비화

나는 형체가 없는 것들에 약하다
이를테면 추억이라던가

형체 없는 것들에 목숨을 걸고
내 모든 걸 걸고

비록 내가 아무것도 아니었대도
추억은 미화하면 그만

내 청춘의 비화 悲話는
추억의 미화로
그와 다른 추억을 한다는 것

갑과 을

끝없는 타오름 속에서
사라진 자리를 메우려는
끝없는 외침이
그 무엇도 채울 수 없으니
내가 너를 원할 때
너의 사랑이 나를 채우기를 바라고
가득 채워진 나는

내가 네게 내 사랑을 내보일 때
너도 나를 그렇게 사랑한다고
처절하게 믿으면

사라진 조각을
다시 맞출 수 있을까
꿈결처럼 지나가면
내 벼랑을 보듬어줄 수 있을지
무책임한 기대
그것이 사랑이라면

배턴 터치

긴긴 시간이 지나고 너와 내가 재귀하면
너는 틀림 없이 울어야 해

네가 대가 없이 받던 말들을 기다리던 내가
너무 비참해서라도 너는 울어야 해

나를 열망하고 원하고 매달리고
끔찍하도록 캄캄할 걸 숨 막힐 걸

그래도 너는 나를 원망해야 해
마주 잡았던 손 끝이 아까워서라도

끈임 없는 생각의 무덤속에서
엉뚱한 생각을 살아있다고 질질 끌어 와서는

네 말이 맞았다며 웃어 보여야 해
내가 널 사랑한다고 착각해야 해

비운의 프리즘

세상이 너로 증명되는 경험

달아오른 피부를 계절에게 유기하고

단순히 비겁한 감정에 날 걸어서

결국 비애를 읊는대도

금방 울고 난 소나기처럼

내 손톱으로 프리즘을 만들어

무지개를 보여줄 거야

결국 비애를 읊는대도

너는 내 세상을 증명했으니까

맺는 말

세상을 사랑으로 살아갑시다
사랑합니다

2024 년 8 월 찢어질 듯한 여름의 소음 속에서

여 름